KUNST AUFRÄUMEN

URSUS WEHRLI

MIT EINEM VORWORT VON
ALBRECHT GÖTZ VON OLENHUSEN

KEIN & ABER

Plädoyer für eine ordentliche Kunst

Die epochale Erfindung des schweizerischen Kunst-Raum- & Form-Designers Dipl. rer. art. Ursus Wehrli, Zürich, verdankt ihre Entstehung der Erfahrung, dass es zu äußerst unliebsamen Wirkungen führen kann, wenn Kunstwerke von erheblichem, schwerem und tief gehendem Inhalt nicht ordnungsgemäß produziert, präsentiert und verwertet werden. Laut Patentschrift des Berner Eidgenössischen Amtes für geistiges Eigentum und Patentwesen Nr. 410566 (2002) wird die Verfahrensweise rechtlich geschützt, welche zur Herstellung der natur- und gottgegebenen Ordnung jedwede Kunst – in roher oder bearbeiteter Form, ggf. auch zusammen mit Farben, Formen, Flächen und Folgeerscheinungen, für sich oder in Vereinigung mit Stücken gleicher oder anderer Art und Güte – mit Hilfe von natürlichen oder künstlichen Mitteln in eine Ruhe und Ordnung bringt, so dass, neuzeitlichen Bedürfnissen künstlerischer Ausdrucksweisen Richtung gebend, von üblichen alten, geraden und ebenen Linien- und Flächenführungen sich frei zu machen und durch spezifisch aufgeräumte Regelmäßigkeiten des allgemeinen Formenschatzes neue Wirkungen zu erzielen möglich wird.

Der für die Patentierung nach Schweizerischem und Europäischem Patentgesetz geltend gemachte unaufhaltsame Fortschritt liegt dementsprechend sowohl auf technischem Gebiet als auch darin, dass sich dem hergestellten, herzustellenden oder bereits existenten artistischen Produkt eine wesentlich ansprechendere ästh tische und moralische Wirkung auf die menschliche Ps che verleihen lässt.

Wehrli, ersichtlich von der Kunstphilosophie u philosophischen Ästhetik geprägt, trachtet mit Hegel d nach, in der Kunst die wahrhafte Wirklichkeit, das A undfürsichseiende, das Substanzielle der Natur und d Geistes herauszuarbeiten und die höhere Realität d Wesenheit von Kunst aufscheinen zu lassen – im Geg satz zu der »Gestalt eines Chaos von Zufälligkeiten, v kümmert durch die Unmittelbarkeit des Sinnlichen u durch die Willkür von Zuständen, Begebenheiten, Ch rakteren usf.« (G. F. W. Hegel, *Vorlesungen über d Ästhetik*, Werke, Bd. 13–15, 1832ff.). Selbst der Kunstdinge nur begrenzt empfängliche Durchschnit betrachter wird dem Philosophen angesichts solch de organisierter, dem ursprünglichen menschlichen Or nungssinn Hohn spottender Werke wie derjenigen v Bruegel bis hin zu Miró und Kandinsky, die Wehrli als B lege für seine subtile Verfahrensweise und als beso ders horrende Exempel daneben gestellt hat, allen Recht geben müssen.

Die unmittelbar einsichtige Funktions- und W kungsweise der Erfindung, inzwischen in der internat nalen Fachliteratur als *fast art converter* bekannt, läs sich mutatis mutandis am ehesten mit der sog. Bes mer-Birne vergleichen: Dabei wird das künstlerisc ɔhprodukt in dem mit einem strikt geheim gehaltenen, iurehaltigen Futter ausgemauerten Behälter aus verdeltem Kupferblech durch Einblasen von Druckluft (80 140 cm Quecksilberpressung) über einen engen :hlauch verbunden mit einer osmotischen Röhre bei eich bleibenden Temperaturen innerhalb von 10–15 in. verflüssigt und mittels einer künstlichen »Entweıng« konvertiert.

Kein Geringerer als der bedeutendste Monologist ɘr künstlerischen Moderne, Prof. Bazon Brock, Wupɘrtal, hat die hier erstmals öffentlich präsentierten Reıltate der Konvertierung traditioneller wie zeitgenössi-.her Kunstproduktion als eine ungemein wertvolle ückbesinnung auf die ursprünglichen Motive, Elemen- und die Materie an sich und als solche im Sinne der :haffung einer »Magical New Order of Art« begrüßt: 'ehrli setze an die Stelle des oft beklagten »Verlustes ɘr Mitte« (Sedlmaier) die elementare Wiedergewinıng der autochthonen Mittel – und stelle damit dem ɘitalter der Emblematik radikaler Konfusion und Deɔnstruktion eine Determinierung höherer Ordnung entɘgen, Paradigma einer neu gesichteten, gegliederten nd gereihten Postmoderne, welche auf diese Weise eiɘr übersichtlich positionierten Transzendenz von Kunst suell den Weg öffne.

Nachdem die langjährigen beherzten Versuche u. a. nes Georges Vantongerloo oder Max Bill, eine mathematisch beeinflusste Rationalisierung von Kunst und logische Stützung menschlichen Denkens durch geordnete visuelle Wahrnehmungsobjekte zu erreichen, bekanntlich scheiterten, wird nunmehr, sichtbar etwa in der überaus geglückten Anordnung der drei Obststücke im Stillleben von Magritte, der Blick für künstlerische Wesenselemente neu geschärft, nicht mehr auf verwirrende Details konzentriert, sondern mit einem qualitativ anderen perspektivischen Gesamteindruck konfrontiert, der, wie z.B. an den Bausteinen von Paul Klee und den Elementarpartikeln von Niki de Saint Phalle demonstriert wird, sensible Stabilität mit sinnvoller Statik verbindet und damit zugleich eine intellektuelle Alternative im Sinne einer präzise gestalteten und einleuchtenden Logik künstlerischer Semiotik herstellt.

Diese Neuformierung der Kunst bringt also nicht etwa, wie dies kritische Theoretiker nach Art eines Theodor W. Adorno gemeint haben, Chaos in *diese* Ordnung, sondern gerade umgekehrt, so dass sich eine ästhetische Gesamtwirkung entfaltet, die dem Beschauer das beruhigende Gefühl vermittelt, dass die gesellschaftliche Funktion von Kunst nicht mehr auf Abschreckung, Schocks und sonstige negative psychische Effekte der angewandten Chaostheorie reduziert wird.

Albrecht Götz von Olenhusen, Rechtsanwalt beim Oberlandesgericht und öff. beglaubigter Kunstprüfer

Nu bleu von Matisse aufräum

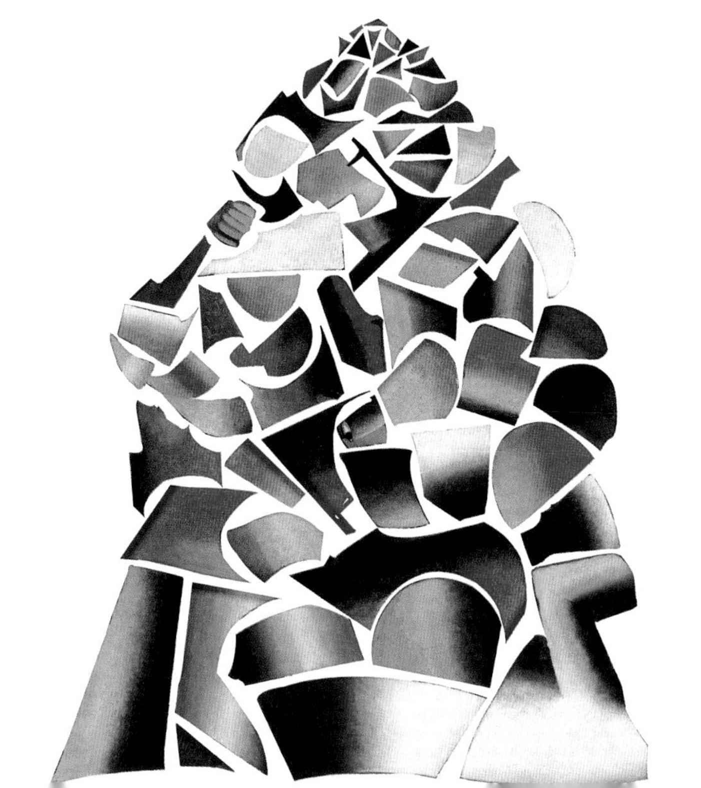

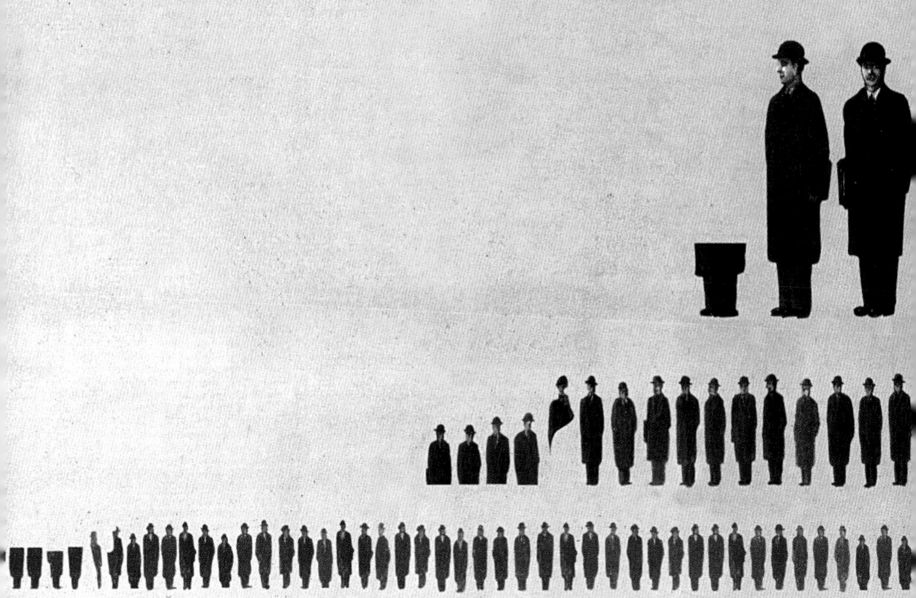

grittes *Golconde* aufräumen

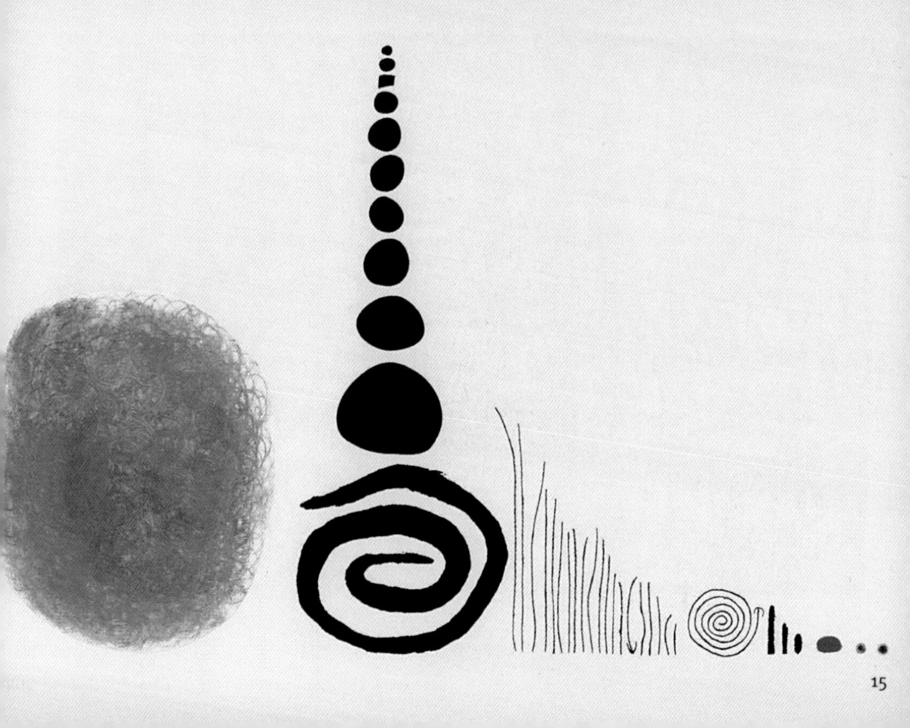

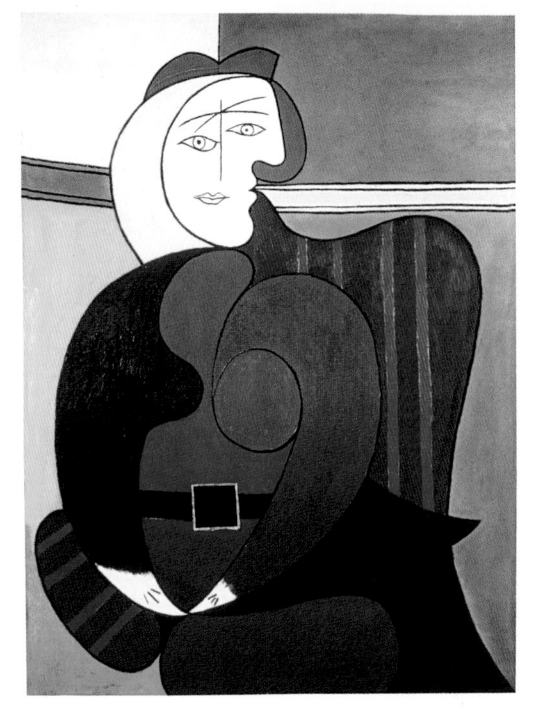

Picassos *Femme assise* aufräum

MODE

MODE

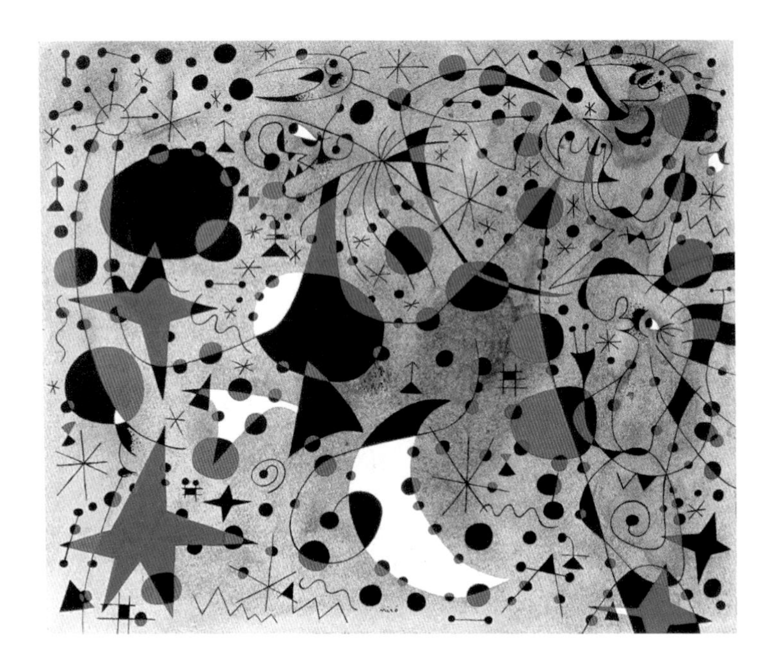

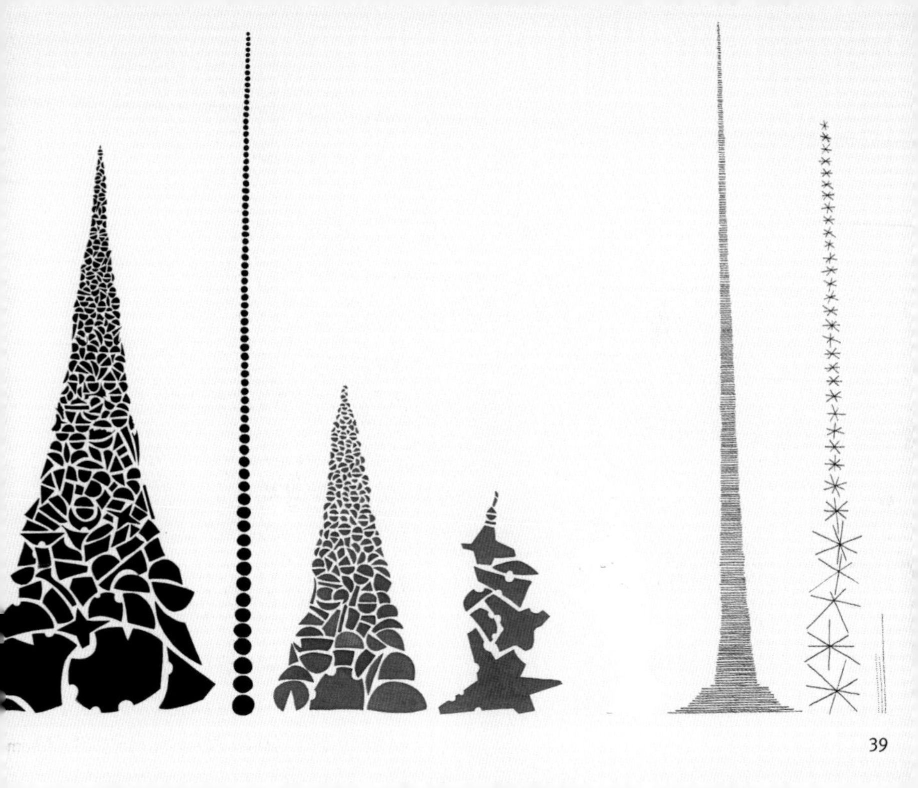

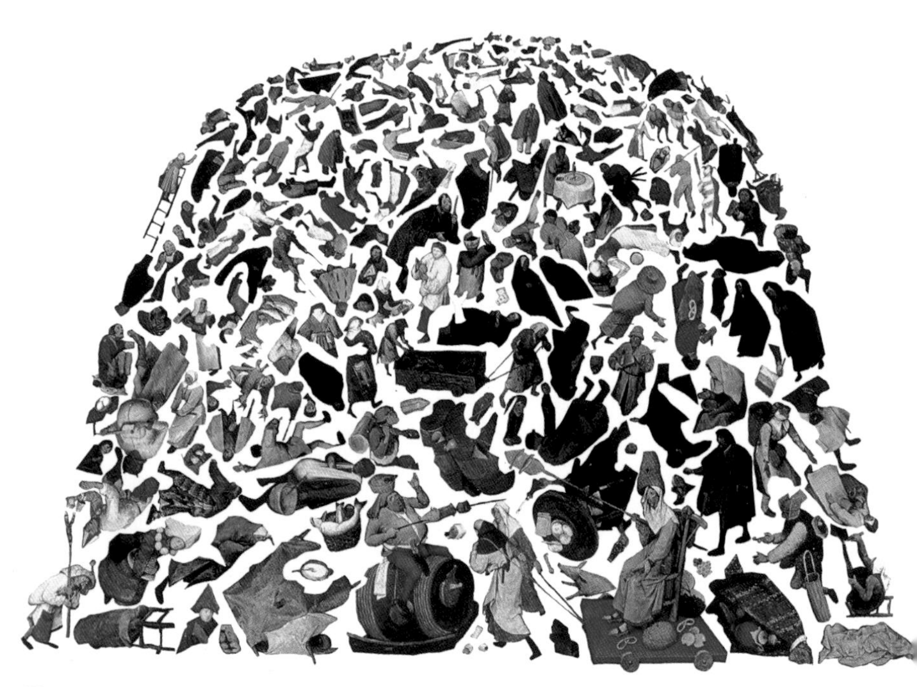

Ursus Wehrli, Jahrgang 1969, ist Linkshänder, Querdenker und gelernter Typograf. Seit 15 Jahren tourt er zusammen mit Nadja Sieger als Komikerduo *Ursus & Nadeschkin* zwischen Wattwil, Basel, Berlin und New York und wurde in dieser Konstellation mehrfach ausgezeichnet – zuletzt mit dem »New York Comedy Award«, dem »Salzburger Stier« und dem »Deutschen Kleinkunstpreis«. In der Saison 2002 waren *Ursus & Nadeschkin* die Zugpferde im Schweizer Nationalcircus Knie. Ursus Wehrli lebt als Komiker, Kabarettist und freischaffender Künstler in Zürich. Auf die Idee, Kunst aufzuräumen, kam er, als er eines Morgens beim Brötchen holen vom Winteranfang überrascht wurde und an den Ohren fror.

www.ursusnadeschkin.ch

Foto: Tom Kawara

AAAAAAAAAAA*ÄÄ* aaaaaaaaaaaaaaaaaaaaaaaaaaaaaaaaaaaaaaaa
aaaaaaaaaaaaaaaaaaaaaaaaaaaaaaaaaaaaaaaaaaaaaaaaaaaaaaa
aaaaaaaaaaaaaaaaaaaaaaaaaaaaaaaaaaaaaaaaaaaaaaaaaaaaaaa
aaaaaaaaaaaaaaaaaaaaa*aaaaaa*ääääääääääääääääääääääää

BBBBBBBBBBBBBBB bbbbbbbbbbbbbbbbbbbbbbb
bbbbbbbbbbbbbbbbbbbbbbbbbbbbbbbbbbb*bbbbbb*

CCCC cccccccccccccccccccccccccccccccccccccccccc
cccccccccccccccccccccccc ccccccccccccccccccccccccccccc
ccccc ccccccccccccccccccccccccccccccccccccccc*cccc*

DDDDDDDDDDDD ddddddddddddddddddddddddddddddddddd
ddddddddddddddddddddddddddddddddddddddddddddddddddd
ddddddddddddddddddddddddddddddddddddddddddddddddddd
ddddddddddddddddddddddddddddddddddddddddddddd*dddd*

EEEEEEEEEEEEE eeeeeeeeeeeeeeeeeeeeeeeeeeeeeeeeeeeeeeeeeeeeeeeeee
eeeeeeeeeeeeeeeeeeeeeeeeeeeeeeeeeeeeeeeeeee eeeeeeeeeeeeeeeeeeee
eeeeeeeeeeeeeeeeeeeeeeeeeeeeeeeeeeeeeeeeeeeeeeeeeeeeeeeeeeeeeeee
eeeeeeeeeeeeeeeeeeeeeeeeee eeeeeeeeeeeeeeeeeeeeeeeeeeeeeeeeeeeee
eeeeeeeeeeeeeeeeeeeeeeeeeeeeeeeeeeeeeeeeeeeeeeeeeeeeeeeeeeeeeeee
eeeeeee eeeeeeeeeeeeeeeeeeeeeeeeeeeeeeeeeeeeeeeeeeeeeeeeeeeeeee
eeeeeeeeeeeeeeeeeeeeeeeeeeeeeeeeeeeeeeeeeeeeeeeeeeee eeeeeeeeeee
eeeeeeeeeeeeeeeeeeeeeeeeeeeeeeeeeeeeeeeeeeeeeeeeeeeeeeeeeeeeeeee
eeeeeeeeeeeeeeeeeeeeeeeeeeeeeeeeeeeeee eeeeeeeeeeeeeeeeeeeeeeeeeee
eeeeeeeeeeeeeeeeeeeeeeeeeeeeeeeeeeeeeeeeeeeeeeeeeeeeeeeeeeeeeeee
eeeeeeeeeeeeeee eeeeeeeeeeeeeeeeeeeeeeeeeeeeeeeeeeeeeeeeeeeeeeee
eeeeeeeeeeeeeeeeeeeeeeeeeeeeeeeeeeeeeeeeee*eeeeeeeeeeeeeeeeeeee*

FFFFFFFFFFFFF ffffffffffffffffffffffffffffffffffffffffffffffffffffffffff*ffff*

GGGGGGGGGG*G* gggggggggggggggggggggggggggggggggg
gggggggggggggggggggggggggggggggggggggggggggggggggg
gggggggggggggggggggggggggggggggggggggggggggg*ggggg*

HHHHH hhhhhhhhhhhhhhhhhhhhhhhhhhhhhhhhhhhhhhhhhhhhhhh
hhhhhhhhhhhhhhhhhhhhhhhhhhhhhhhhhhhhhhhhhhhhhhhhhhhhhhhhh
hhhhhhhhhhhhhhhhhhhhhhhhhhhhhhhhhhhhhhhhhhhhhhhhhhhhhhhhh
hhhhhhhhhhhhhhhhhhhhhhhhhhhhhhhhhhhhhhhhhhhhhhhhhhh*hhhhh*

I iiiiiiiiiiiiiiiiiiiiiiiiiiiiiiiiiiiiiiiiiiiiiiiiiiiiiiiiiiiiiiiiiiiiiiiiiiiiiiiiiiiiiiiiiiiiiiiiiiiiiiiiiiiiiiiiiiiiii
iiiiiiiiiiiiiiiiiiiiiiiiiiiiiiiiiiiiiiiiiiiiiiiiiiiiiiiiiiiiiiiiiiiiiiiiiiiiiiiiiiiiiiiiiiiiiiiiiiiiiiiiiiiiiiiiiiiiiiiiii
iiiiiiiiiiiiiiiiiiiiiiiiiiiiiiiiiiiiiiiiiiiiiiiiiiiiiiiiiiiiiiiiiiiiiiiiiiiiiiiiiiiiiiiiiiiiiiiiiiiiiiiiiiiiiiii*iiiiii*

jjjj

KKKKKKKKKKKKKKKKK*K* kkkkkkkkkkkkkkkkkkkkkkkkk
kkkkkkkkkkkkkkkkkkkkkkkkkkkkkkkkkkkkkkkkkkkkkkk*k*

LLL lllllllllllllllllllllllllllllllllllllllllllllllllllllllllllllllllllllllllllll

mmmmmmmmmmmmmmmmmmmmmmmmmmmmmmmmmmmmmmmmmm
mmmmmmmmmmmmmmmmmmmmmmmmmmmmmmmmmmmmmmmm*m*

NNNNNN nnnnnnnnnnnnnnnnnnnnnnnnnnnnnnnnnnnnnnnnnnnnnnnnnnnnnn
nnnnnnnnnnnnnnnnnnnnnnnnnnnnnnnnnnnnnnnnnnnnnnnnnnnnnnnnnnnnnnn
nnnnnnnnnnnnnnnnnnnnnnnnnnnnnnnnnnnnnnnnnnnnnnnnnnnnnnnnnnnnnnn
nnnnnnnnnnnnnnnnnnnnnnnnnnnnnnnnnnnnnnnnnnnnnnnnnnnnnnnnnnnnnnn
nnnnnnnnnnnnnnnnnnnnnnnnnnnnnnnnnnnnnnnnnnnnnnnnnnnnnnnnnnnnnnn
nnnnnnnnnnnnnnnnnnnnnnnnnnnnnnnnnnnnnnnnnnnnnnnnnnnnnnnnnnnnnnn
nnnnnnnnnnnnnnnnnnnnnnnnnnnnnnnnnnnnnnnnnnnnnnnnnnn*nnnnnnnnnn*

OOOOOOO*OO* oooooooooooooooooooooooooooooooooooo
ooooooooooooooooooooooooo oooooooooooooooooooooooooo
oooooooooooooooooooooooooooooooooooooooo*ooo*öööööööö*öö*

PPPPPPPPPPPP ppppppppppppppppppppppppppppppppppp*p*

Q q

RRRRRRRRRR*R* rrrrrrrrrrrrrrrrrrrrrrrrrrrrrrrrrrrrrrrrrrrrrrrrrrrrrrrrrrrr
rrrrrrrrrrrrrrrrrrrrrrrrrrrrrrrrrrrrrrrrrrrrrrrrrrrrrrrrrrrrrrrrrrrrrrrrrr
rrrrrrrrrrrrrrrrrrrrrrrrrrrrrrrrrrrrrrrrrrrrrrrrrrrrrrrrrrrrrrrrrrrrrrrrrr
rrrrrrrrrrrrrrrrrrrrrrrrrrrrrrrrrrrrrrrrrrrrrrrrrrrrrrrrrrrrrrr*rrrrrrrrrr*

SSSSSSSSSSSSSSSS sssssssssssssssssssssssssssssssssssssssssssssssssssss
ssssssssssssssssssssssssssssssssssssssssssssssssssssssssssssssssssssss
ssssssssssssssssssssssssssssssssssssssssssssssssssssssssssssssssssssss
sssssssssssssssssssssssssssssssssssssssssssssssssssssssssss*sssssss*

TTTT ttttttttttttttttttttttttttttttttttttttttttttttttttttttttttttttttttttttttttttttttttttt
tttttttttttttttttttttttttttttttttttttttttttttttttttttttttttttttttttttttttttttttttttttttttttttt
ttttttttttttttttttttttttttttttttttttttttttttttttttttttttttttttttttttttttttttttttt*ttttttttttttt*

UU uuuuuuuuuuuuuuuuuuuuuuuuuuuuuuuuuuuuuuuuuuuuuuuuuuu
uuuuuuuuuuuuuuuuuuuuuuuuuuuuuuuuuuuuuuuuuuuuuuuuuuuuuu
uuuuuuuuuuuuuuuuuuuuuuuuuuuuuuuuuuuuuuuuuuuuuuuuuuuuuu
uuuuuuuuuu*uuuuu*üüüüüüüüüüüüüüüüüüüüüüüüüüüüüüüüüüü*üü*

VVVVVV*V* vvvvvvvvvvvvvvvvvvvvvvvvvvvvvvvvvvvvvvvvv*v*

WWWWWWWWWWWWWWWWWWWWW wwwwwwwww
wwwwwwwwwwwwwwwwwwwwwwwwwwwwwwwwwwww*w*

xxx

yyy

ZZZZ zzzzzzzzzzzzzzzzzzzzzzzzzzzzzzzzzzz*z*

.... ,,
:: ———————— --------------------------------- (((( )))) &

1111111 222 33 44 555 66 88 oooooo

Bildlegenden & Nachweise

4 Paul Klee, Farbtafel »q¢u¢1«, 1930, 71 (Qu1)
37,3 x 46,8 cm, Pastell auf Kleisterfarbe auf Papier auf Karton, Öffentliche Kunstsammlung Basel, Kupferstichkabinett, Schenkung der Klee-Gesellschaft Bern, Inv. Nr. 1948.110
Bildvorlage: © Öffentliche Kunstsammlung Basel, Martin Bühler, © VG Bild-Kunst, Bonn 2004

6 Wassily Kandinsky, Roter Fleck II, 1921 (Bildausschnitt)
Städtische Galerie im Lenbachhaus, München
Bildvorlage: © Städtische Galerie im Lenbachhaus, München, © VG Bild-Kunst, Bonn 2004

8 Henri Matisse, Nu bleu IV, 1952
Musée Matisse, Nizza
© Succession H. Matisse / VG Bild-Kunst, Bonn 2004

10 Kasimir Malewitsch, Der Holzfäller, 1912
Stedelijk Museum Amsterdam
Bildvorlage: © Stedelijk Museum Amsterdam

12 René Magritte, Golconde, 1953 (Bildausschnitt)
The Menil Collection, Houston
Bildvorlage: © The Bridgeman Art Library, © VG Bild-Kunst, Bonn 2004

14 Joan Miró, L'or de l'azur, 1967
Fundació Joan Miró, Barcelona
Bildvorlage: © Fundació Joan Miró, Barcelona, © Successió Miró / VG Bild-Kunst, Bonn 2004

16 Keith Haring, ohne Titel, 1986
Sammlung Hoffmann Berlin
Bildvorlage: © Sammlung Hoffmann Berlin, © The Estate of Keith Haring

18 Vincent van Gogh, Das Schlafzimmer in Arles, 188
Rijksmuseum Vincent van Gogh, Vincent van Gog Stiftung, Amsterdam
Bildvorlage: © The Bridgeman Art Library

20 Alexej von Jawlensky, Mystischer Kopf: Galka, 191
Norton Simon Foundation, Galka Scheyer Colle tion, Pasadena
Bildvorlage: © AKG Berlin, © VG Bild-Kunst, Bonn 2004

22 Niki de Saint Phalle, Volleyball, 1993
Musée d'Art Moderne et d'Art Contemporain
Bildvorlage: © Musée d'Art Moderne et d'Art Contemporain, © VG Bild-Kunst, Bonn 2004

5 Piet Mondrian, Komposition in Rot, Blau und Gelb, 1930
Öl auf Leinwand, 46 x 46 cm, Kunsthaus Zürich
Bildvorlage: © The Bridgeman Art Library,
© 2004 Mondrian / Holtzman Trust
c/o hcr@hcrinternational.com

6 Joan Miró, Femmes et oiseaux dans la nuit, 1945
Kunstsammlung Nordrhein-Westfalen, Düsseldorf
Bildvorlage: © Kunstsammlung Nordrhein-Westfalen, Walter Klein, Düsseldorf,
© Successió Miró / VG Bild-Kunst, Bonn 2004

8 Kasimir Malewitsch, Suprematismus (mit blauem Dreieck und schwarzem Rechteck), 1915
Stedelijk Museum Amsterdam
Bildvorlage: © AKG Berlin

o Pablo Picasso, Femme assise dans un fauteuil rouge, 1931
The Art Institute of Chicago
Bildvorlage: © The Bridgeman Art Library,
© Succession Picasso / VG Bild-Kunst, Bonn 2004

2 René Magritte, Les jeunes amours, 1963
Privatsammlung
Bildvorlage: © Galerie Christine and Isy Brachot, Brüssel, © VG Bild-Kunst, Bonn 2004

34 Wassily Kandinsky, Himmelblau, 1940
Musée National d'Art Moderne, Centre Georges Pompidou, Paris
Bildvorlage: © The Bridgeman Art Library,
© VG Bild-Kunst, Bonn 2004

36 August Macke, Modefenster, 1913
Museum Ludwig, Köln
Bildvorlage: © Rheinisches Bildarchiv Köln

38 Joan Miró, Le chant du rossignol à minuit et la pluie matinale, 1940
Privatsammlung
Bildvorlage: © Acquavella Galleries, New York,
© Successió Miró / VG Bild-Kunst, Bonn 2004

40 Pieter Bruegel, Kampf zwischen Karneval und Fastenzeit, 1559
Kunsthistorisches Museum Wien
Bildvorlage: © The Bridgeman Art Library

Mit aufgeräumtem Dank an meine Eltern,
Brigitta Schrepfer und Nadja Sieger

Cover: Ursus Wehrli, 2002

2. Auflage, Sommer 2004

Alle Rechte vorbehalten
© für diese Ausgabe Kein und Aber Verlag Königstein i. Ts. 2004
Mitausschneiderin: Caroline Schubiger
Gesamtherstellung: Proost, Turnhout

ISBN 3-0369-5221-7